ISBN SÉRIE 2-84580-048-7 / ISBN VOL. 2-84580-051-7
ISBN ÉD.ORIGINALE 9782845800 519

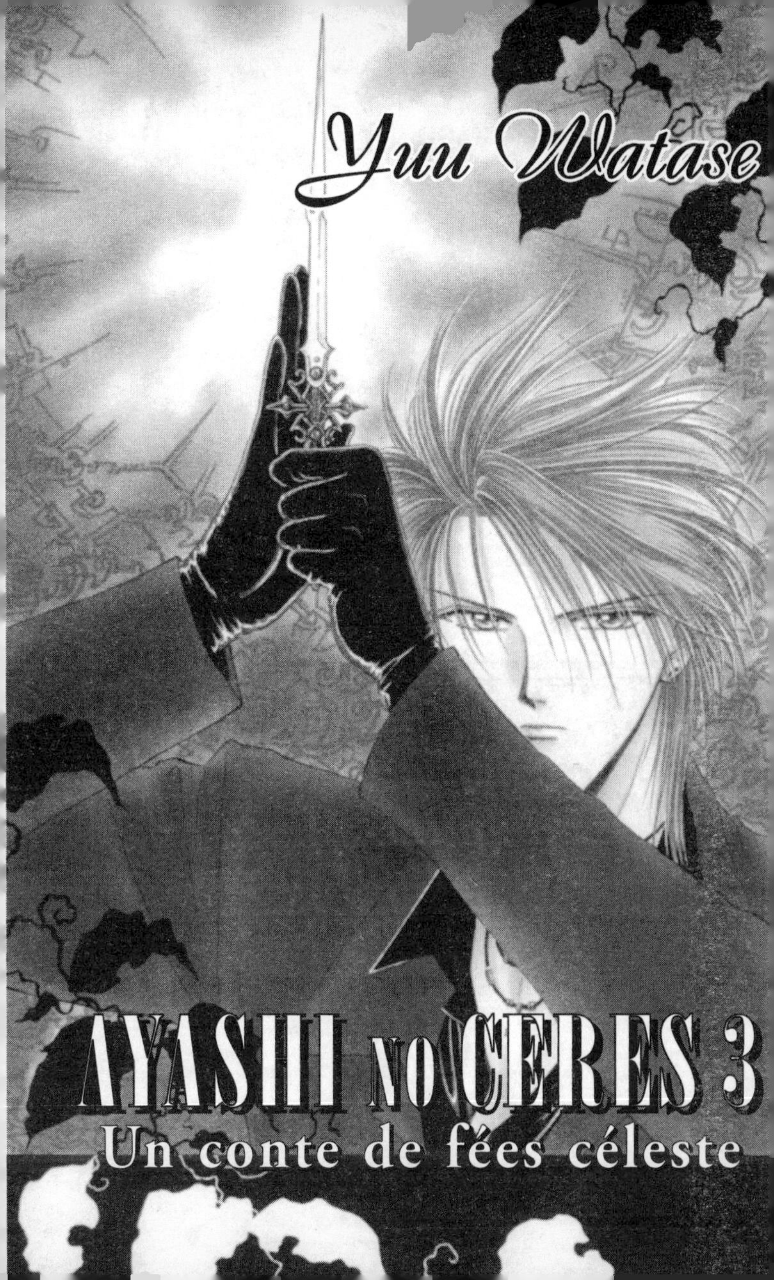
Yuu Watase
AYASHI NO CERES 3
Un conte de fées céleste

AKI MIKAGÉ

AYA MIKAGÉ

TOYA

YUHI AOGIRI

RÉSUMÉ :

Aya Mikagé finit par se transformer en Cérès la nymphe céleste et reconnaît en Aki, son frère jumeau, l'homme qui, il y a des années de cela, l'a trahie et a volé sa robe de plumes... Pendant ce temps, Kagami, qui continue de garder Aki sous étroite surveillance dans le but de mettre la main sur les porteurs du gène de la nymphe (appelé Génome C), ordonne au mystérieux Toya de surveiller Aya.

Mais Aya est sous la protection de la famille Aogiri et en particulier de Yuhi qui fréquente le même lycée que la jeune fille. Toya doit donc s'infiltrer dans l'établissement. Il y parvient en assumant le rôle de membre du personnel médical de l'école.

Or, un jour, une camarade de classe de Aya, Urakawa, qui a dû être amenée de toute urgence à l'infirmerie, manifestant un étrange pouvoir, brûle grièvement le docteur qui s'occupait d'elle...

...MERCI YUHI...

TCHAC!!

...
HM
...

AAAAH, ET VOILÀ, J'EN ÉTAIS SÛR !! MONTRE-MOI ÇAAA !!

EUH... OUI... BON... DE QUOI PARLIEZ-VOUS... AVEC TOYA... EUH... M. MIKAMI ?

LAISSE TOMBER !

!!

NON C'EST RIEN, TU SAIS, JE SUIS HABITUÉE ...

OUH

CONTINUE COMME ÇA ET TOYA VA ALLER VOIR AILLEURS, TU PEUX ME CROIRE !!

CE N'EST PAS QU'IL ME DÉPLAISE MAIS... HÉÉ, MAIS QU'EST-CE QUE JE RACONTE MOI ?!...

GLOUP

PAF

FERME-LA !!!!!

C'EST PEUT-ÊTRE UN MOYEN DE CACHER D'AUTRES SENTIMENTS ?... VOULEZ-VOUS PARIER AVEC MOI MADAME ? ...POUR SAVOIR QUI DES DEUX OBTIENDRA SES FAVEURS ...!!

GA...

AAAH... ILS SE SONT ENCORE DISPUTÉS... QU'ILS SONT ÉNERVANTS TOUS LES DEUX !!

AYA !

TAP TAP TAP

14

LES BLA-BLAS DE YUU WATASE (LE RETOUR DE LA VENGEANCE DU FILS 2)

Pfiooou... (excusez-moi, j'ai l'estomac vide...) revoilà votre Watase préférée ! Le temps passe vite, on en est déjà au troisième volume ! J'espère que vous n'avez pas trop de mal à suivre jusqu'ici. Personne ne sait encore dans quel sens l'histoire va évoluer... même pas moi !!... non, non, je plaisante, j'ai quand même une ou deux petites idées ! Aaaah, tout serait tellement plus facile si je ne faisais que les dessins et pas les scénarios !! Mais à la réflexion, je ne crois pas que j'aimerais ça car j'aurais du mal à mettre en valeur des idées qui ne viennent pas de moi (rires). En plus de ça, il faudrait que je fasse attention à ce que mes dessins ne cassent pas les idées du scénariste (en fait je ne sais pas puisque je n'ai jamais essayé mais c'est ce que je pense). Finalement, il n'existe pas de travail qui ne soit pas difficile.... Oui, je sais, on vient de commencer et je n'arrête pas de me plaindre !! Mais c'est que je suis fatiguée, vous savez !! Je ne dors que trois heures et demie par nuit !!! Aaaaah, j'ai sommeil (rrr... zzzzz !!).

Allez, réveille-toi Watase !! Ce n'est pas le moment de dormir ! À l'intention de ceux qui voudraient embrasser la carrière de dessinateur, je voudrais leur dire qu'ils doivent s'attendre à passer quelques nuits blanches !! Oh la la la oui, vous n'en avez pas idée !!! Quand j'ai commencé, je m'imaginais bien que ce n'était pas un boulot facile mais j'ignorais à quel point ! Je me disais : "je vais écrire tout ce que je veux comme je veux !!" ...grave erreur !!! Ce n'est absolument pas vrai !!! (rires)... En fait, s'il y a une chose que vous apprenez dès le début de votre carrière, c'est bien que vous n'allez pas pouvoir faire tout ce que vous voulez !! C'est comme tous les autres jobs... On vous fait avaler votre fierté, on ne vous laisse pas un instant de répit... et au total, on se retrouve dans un état d'épuisement avancé, les neurones en coton !! Cela dit, il y en a qui montent tellement haut qu'ils finissent par se mettre en orbite !...

QU'EST-CE QUE JE RACONTE ?! LA FAIM ET LA FATIGUE ME FONT DÉLIRER... ?!

18

...MOI AUSSI, J'AI LE DROIT D'ÊTRE AMOUREUSE !!

MÊME S'IL NE VEUT JAMAIS ACCEPTER MON AMOUR...

MOI AUSSI J'AIME QUELQU'UN !!

AH

JE NE DIRAI RIEN À PERSONNE !

...EUH .... TU... NOUS ...

T'IN-QUIÈTE !

...PARDON ! JE N'AVAIS PAS L'IN-TENTION DE VOUS ESPIONNER !!

MIKA... GÉ !!

ET QUE AYA ET MOI NOUS RETROUVERIONS NOTRE VIE D'AVANT ...

BEN OUI, LES SOUVENIRS DE MA VIE ANTÉRIEURE !! SI JE POUVAIS ME SOUVENIR DE CETTE FAMEUSE "ROBE DE PLUMES" ET SI JE LA RENDAIS À CÉRÈS, PEUT-ÊTRE QU'ELLE PARTIRAIT ...

HEIN ... !?

IL N'EST RIEN QUE JE SOUHAITE D'AVANTAGE !

······

D'ABORD LE MÉDECIN DE L'ÉCOLE, ET MAINTENANT CET ARBRE...

CES INCENDIES QUI SE DÉCLENCHENT TOUT SEULS... CE N'EST PAS NORMAL !

YUHI A BEAU DIRE QUE CELA N'A RIEN À VOIR AVEC MOI... JE NE PEUX M'EMPÊCHER D'EN DOUTER... !

... MIKAGÉ

URAKAWA
...

TU VEUX BIEN... QU'ON PARLE... ?

OUAAAAAH ! TROP MIGNON CET OURSON !!

JE L'AI FABRIQUÉ HIER SOIR... IL EST POUR TOI, JE TE LE DONNE !

POUR MONSIEUR HAYAMA... TU VAS GARDER LE SECRET ?

MAIS FALLAIT PAS VOYONS !! EUH... JE LE GARDE QUAND MÊME, IL EST VRAIMENT TROP CRA-QUANT !!

...C'EST MA PASSION DE CRÉER DES PETITES CHOSES... TU T'ES OCCUPÉE DE MOI ET JE NE T'AVAIS MÊME PAS ENCORE REMERCIÉE... ALORS ...

HEIN ?!! C'EST TOI QUI AS FAIT ÇA ?!! TU ES DOUÉE !!

J'AI L'AIR D'UNE MENTEUSE ?!!

J- EUH... OUI PEUT-ÊTRE MAIS JE NE LE SUIS PAS EN TOUT...

38

LES BLA-BLAS DE YUU WATASE (LE RETOUR DE LA VENGEANCE DU FILS 2)

J'ai enfin dîné... ouf ! Maintenant je peux écrire des choses un peu plus sensées. Quoique... j'ai encore sommeil... !

Ah, le volume un de la seconde série d'OAV de Fushigi vient d'être mis en vente (Juin 97), ne le manquez pas !! Le volume deux devrait sortir un peu plus tard... Moi j'aime bien le nouveau générique de début (ne manquez pas le CD non plus, hein ?!). Ça me rappelle qu'il y avait un CD single en cadeau avec l'"animedia" d'avril, j'espère que vous ne l'avez pas manqué ! À propos du CD cadeau pour les gens qui ont acheté les trois volumes de la série d'OAV précédente, vous allez pouvoir entendre ma belle voix si mélodieuse. En effet, j'ai participé au doublage (non, ne vous enfuyez pas !!).

Avec mes assistantes, nous nous amusions souvent à jouer les scènes des BD mais quand j'ai eu le micro en main pour de vrai, je suis devenue hyper nerveuse (encore plus qu'au travail !!). Peut-être que si on avait joué la scène avant moi pour me montrer, ç'aurait été plus facile mais bon...

Bref... changeons de sujet... je crois qu'en Chine il y a un groupe de jeunes chanteuses qui s'appelle "China Sugar Cérès" (rires). C'est un groupe de cinq filles !! Je pense que c'est une coïncidence mais ça m'a bien fait rire !! Je me demande d'où le nom de Cérès peut bien venir. Au fait, il y a aussi une voiture qui s'appelle Cérès. J'aimerais bien savoir s'ils ont choisi ce nom pour la même raison que moi... On m'a demandé pourquoi j'avais choisi un nom à consonance occidentale d'ailleurs... tout ce que j'ai trouvé à répondre c'est que comme elle venait du ciel, je n'allais pas lui donner un nom japonais quand même ! (rires)... En tout cas, je trouve la prononciation assez jolie, non ?

TOI, LA FERME !!

ELLE N'Y EST POUR RIEN SI UN ARBRE A PRIS FEU, N'EST-CE PAS ?! ALORS ARRÊTE DE L'EMBÊTER !!

T'AS ENCORE UN MALAISE ? TU FAIS SEMBLANT ? C'EST TOUJOURS PAREIL AVEC TOI !!

ÇA SUFFIT LES COMMÈRES !!

TU DÉRANGES TOUT LE MONDE AVEC TES SIMAGRÉES !!

PFF, JE ME DEMANDE POURQUOI LE DOCTEUR MIKAMI A PROTÉGÉ CES FILLES-LÀ !!

ON S'EN VA !

YUHI

41

TU LE SAIS TOI, QUE TOYA N'EST PAS UN GARÇON COMME LES AUTRES !!

C'ÉTAIT PAS DIFFICILE À COMPRENDRE !

COMMENT TU LE SAIS !? NE ME DIS PAS QUE TU AS AUSSI DES DONS ?

AVANT TOUT, IL EST EMPLOYÉ PAR LES MIKAGÉ POUR METTRE LA MAIN SUR CÉRÈS !!

TU NE DEVRAIS PAS TRAÎNER AVEC LUI !!

LAISSE TOMBER ! ARRÊTE TA CRISE DE PARANO !!

PETITE SUPERFI-CIELLE !!!

...C'EST VRAI QUE PAR RAPPORT AUX GENS ORDINAIRES, IL EST BEAU COMME UN DIEU, IL EST GRAND, ET IL A DE MAGNIFIQUES CHEVEUX ROUGES FINS ET SOYEUX ...

QUAND IL T'A PROTÉGÉ DU FEU, IL EST ARRIVÉ DEVANT TOI EN UN CLIN D'ŒIL.... CE N'EST PAS UN HOMME NORMAL !

44

VOUS VOUS ÊTES ENCORE DISPUTÉS ?

C'EST UN GARÇON TIMIDE, IL NE SAIT PAS S'EXPRIMER TENDREMENT !

IL NE S'AGIT DE SA PART QUE DE JALOUSIE... JA... LOU... SIE !!

OUI, MOI-MÊME QUAND JE VOIS CETTE PUBLICITÉ, J'AI DU MAL À CROIRE QU'IL N'EST PAS DE MA FAMILLE

HUM ... BREF !!!!!

MADAME KYOU, TU RESSEMBLES AU VIEILLARD DE LA PUB "HOT" !

MAIS MOI, TOUS LES SOIRS, JE L'ENTENDS SE LANGUIR DANS SA CHAMBRE !!

PLAC

MLLE AYA ! OUVREZ LES YEUX !

TU SAIS MADAME KYOU, IL DIT TOUJOURS DES MÉCHANCETÉS SUR TOYA ET IL DIT QUE JE SUIS BÊTE !!

45

46

59

AYASHI NO CERES : PETITS COURS POUR COMPRENDRE ENCORE MIEUX

LES BLA-BLAS DE YUU WATASE (LE RETOUR DE LA VENGEANCE DU FILS 2)

À propos, j'ai été avec mon assistante H et le responsable de ma maison d'édition en reportage au laboratoire chimique de Mitsubishi !! J'y ai appris beaucoup de choses et j'ai même pu pendant plusieurs jours penser que j'étais devenue intelligente... si si ! (rires) C'est l'un des cinq plus grands laboratoires au monde (paraît-il). Au début, j'étais un peu tendue mais tous les gens ont été très gentils et ont répondu à toutes mes questions, même les plus ridicules. J'ai appris vraiment beaucoup de choses. Un des chercheurs m'a même expliqué, en faisant le dessin au tableau, ce que pourraient être des gènes de nymphes célestes, c'était vraiment passionnant (rires).

Vous voyez bien que mes histoires sont scientifiquement correctes !! (euh... je crois). Oui, oui... Cérès a été approuvé par les scientifiques !! (je vous jure !!) Enfin, on va dire ça comme ça (rires). De toute façon, l'histoire se passe dans un monde de fiction. La "biologie" est certes difficile à aborder à cause de ces termes techniques mais quand on commence à comprendre un peu, c'est un univers très intéressant. Je vous avoue que je n'aimais pas apprendre par cœur dans les cours de science mais j'aimais bien la biologie (l'astronomie aussi !). C'était amusant de regarder au microscope. Au laboratoire, on m'a laissé regarder au microscope... c'était du sperme de souris... et puis leurs gènes aussi. C'était dans une chambre froide à moins 30°C, brrr... j'avais froid !! J'ai aussi pris une tonne de photos... Ce n'est qu'une BD mais je suis obligée d'avoir quand même des informations !! J'ai posé des questions sur le clonage, c'était également très passionnant ! Aujourd'hui, il y a aussi beaucoup de livres publiés sur "le corps humain" ce qui veut dire que le regard de la société se dirige de plus en plus vers le mystère des êtres vivants.

71

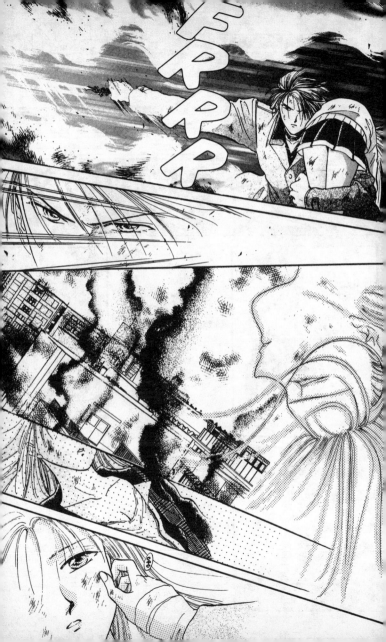

AKI...
EST CELUI QUI DANS LE
PASSÉ A VOLÉ "LA
ROBE DE PLUMES" ET
GRÂCE À CELA, IL
DÉTIENT UN GRAND
POUVOIR... IL EST EN
QUELQUE SORTE LE
"LEADER"...

...DANS TOUT
LE JAPON,
IL EXISTE
DES GENS
PORTEURS DU
"GÉNOME C"

URAKAWA PORTE
EN ELLE "LE
GÉNOME C"...
MAIS JE NE
CONNAIS PAS
TOUT LES
DÉTAILS
......

LE "PROJET C"
DE LA FAMILLE
MIKAGÉ CONSISTE
À TROUVER CES
PERSONNES...
AFIN DE
RÉCOLTER LEURS
"POUVOIRS"... ET
VOILÀ POURQUOI
AKI AUSSI
...

MON TRAVAIL
EST DE PROTÉGER AKI
... ET DE TE
SURVEILLER... NON...
DE SURVEILLER LA
NYMPHE CÉLESTE...
JE NE DOIS PENSER À
RIEN D'AUTRE
!...

AKI ?
QUOI
AKI
?!

...TO...

ENFIN...
C'EST
COMME ÇA
QUE ÇA
AURAIT DÛ
ÊTRE
...

77

78

84

89

CÉRÈS
... !!

95

URAKAWA, TU NE DOIS PLUS UTILISER TON "POUVOIR" !

TON CORPS NE LE SUPPORTERA PLUS LONGTEMPS ! JAMAIS CETTE FORCE N'AURAIT DÛ EN SORTIR MAIS ON T'A OBLIGÉ À LE FAIRE ...

CRIISH

TU PENSAIS M'AVOIR AVEC CET OBJET RIDICULE ?

SI TU T'OBSTINES À L'UTILISER... TU FINIRAS PAR EN PERDRE LA VIE !

HAYAMA... TU ES MÉPRISABLE !

BRR

FAIS-LA TAIRE !! MIKAGÉ... N'EST QU'UN MONSTRE !! ELLE ESSAIE DE NOUS SÉPARER !!

...VOUS AVEZ DONC L'INTENTION DE DONNER NAISSANCE À D'AUTRES CÉRÈS !?

NOUS AVONS DÉCOUVERT QU'UNE FOIS INSÉRÉE DANS UNE CELLULE, "LA MATIÈRE NON IDENTIFIÉE" SE MET À VIBRER

NOTRE ASCENDANT SUR LA NYMPHE CÉLESTE NOUS A CONCÉDÉ À NOUS LES "MIKAGÉ" UNE "FORCE PARTICULIÈRE" DEPUIS DES MILLIERS D'ANNÉES. NOTRE PROJET EST DE RENFORCER CETTE PUISSANCE AFIN DE CONTINUER À VIVRE DE FAÇON PROSPÈRE !

ET FINIT PAR RÉVEILLER "LA FORCE DE NYMPHE CÉLESTE" DES "GÉNOMES C" !

BRR

BRR

AUCUN ÊTRE HUMAIN NE PEUT NOUS RÉSISTER ...

QUE CE SOIT EN PROMETTANT DE L'ARGENT OU PAR PRESSION, NOUS OBTENONS DE PLUS EN PLUS DE SERVITEURS ZÉLÉS !

MONSIEUR... JE N'EN PEUX... PLUS...

99

YUHI A VOULU ME PROTÉGER... ET...

HM

PA... PARDON MAIS YUHI ...

AÏE AÏE AÏE !!!

!?

AOUILLE !!!

SPAF

...YUHI...

TU ES VIVAAAAAANT !!!!!!

J'AI LE CORPS EN COMPOTE !!

J'CROYAIS QU'T'ÉTAIS MORT, IDIOT !!

PARDON ...

RRRRR !...

TOYA, JE NE VEUX PLUS QUE TU QUITTES LA SOCIÉTÉ, DU MOINS, PENDANT QUELQUE TEMPS...

ARRÊTE CETTE STUPIDE AMOURETTE AVEC AYA... TU AS DES CHOSES PLUS IMPORTANTES À PENSER...

NE PARLONS PLUS DE CETTE AFFAIRE !

IL SEMBLE QUE LE PLAN YUKI URAKAWA SE SOIT SOLDÉ PAR UN ÉCHEC !

...OUI, C'EST MOI !...

BIEN, JE COM-PRENDS !

LES AFFAIRES SE MULTIPLIENT ET ILS NE SONT PAS INQUIÉTÉS... JE NE SUIS PEUT-ÊTRE PAS DE TAILLE !

TOUT COMME LA MORT DU PÈRE DE AYA, LA FOLIE DE SA MÈRE ...

DÈS QU'UNE AFFAIRE CONCERNE LES MIKAGÉ, ELLE EST AUTOMATIQUEMENT ÉTOUFFÉE

DE TOUTE FAÇON, PERSONNE N'ARRIVERAIT À EN DÉTERMINER LA CAUSE !

QUOI ?!

MADAME... ON VIENT DE M'INFORMER QUE LA VOITURE DE LA FAMILLE VIENT D'ARRIVER ...

AH LA LA, C'QUE J'M'ENNUIE !!

OH !

ATTENTION, ON NE VOIT PLUS MON VISAGE !!

"PARCE QUE JE VOULAIS PROTÉGER LA NYMPHE CÉLESTE, SA FORCE M'A PROTÉGÉ À CE QUE SUZUMI M'A DIT... INCROYABLE... NORMALEMENT J'AURAIS DÛ MOURIR BRÛLÉ VIF !

JE N'AURAIS JAMAIS IMAGINÉ QUE CE BANDEAU ME PROTÉGERAIT !

QU'EST CE QUE TU DIS ?! ESTIME-TOI HEUREUX DE N'AVOIR EU QUE DES BLESSURES SUPERFICIELLES ! ARRÊTE DE TE PLAINDRE !!

...ON A ENTERRÉ 48 PERSONNES AUJOURD'HUI...

L'ÉCOLE EST PROVISOIREMENT FERMÉE ...

POURQUOI TOUT CE GÂCHIS ?

...URAKAWA...

111

MONSIEUR YUHI, C'EST TERRIBLE !!

TU L'AS BIEN REGARDÉE ?!! COMMENT VEUX-TU QUE ÇA ARRIVE !?

AAAH

OH MON DIEU !! MONSIEUR YUHI UTILISE SA FORCE BRUTE POUR OBTENIR LES FAVEURS DE MLLE AYAAAAA !!!

VOTRE PÈRE ET VOTRE GRAND FRÈRE SONT ARRIVÉS !!

ENFIN BREF, CE N'EST PAS ÇA LE PLUS IMPORTANT !!

MAIS C'EST TOI QUI... !!

YUHI... POURQUOI M'AS-TU FAIT UNE CHOSE PAREILLE ?

...AH OUI...

...BON, BONNE NUIT TOUT LE MONDE !...

MAIS NON IDIOTE !! JE ME RENDORS POUR NE PAS LES VOIR !!

TU COMPTES DORMIR AVEC TON FRÈRE ET TON PÈRE ? C'EST QUOI CETTE FAMILLE ?

EUH... DIS MADAME KYOU, POUR- QUOI YUHI NE VEUT PAS RENCONTRER SA FAMILLE ?

C'EST VRAI... LA MAMAN DE YUHI EST MORTE QUAND IL AVAIT CINQ ANS, MAIS ÇA N'EXPLIQUE RIEN...

ET MOI ?! PUIS-JE AU MOINS LES SALUER ?

ILS ONT PU TROUVER DU TEMPS ET SONT VENUS TOUT DE SUITE... ALORS QU'ILS ONT TOUJOURS BEAUCOUP DE TRAVAIL ...

...EXCUSEZ-MOI PÈRE, JE N'AI RIEN PRÉPARÉ POUR VOTRE VISITE !!

JE N'AURAIS PEUT ÊTRE PAS DÛ LUI POSER CETTE QUESTION !!

OUPS

C'EST VRAI, MADAME SUZUMI, VOUS DEVRIEZ VENIR NOUS VOIR PLUS SOUVENT À LA MAISON !!

GNN

CE N'EST RIEN, C'EST NOTRE FAUTE, NOUS SOMMES VENUS SANS PRÉVENIR !

OH OH OH, VOYONS, JE NE SUIS QUE LA VEUVE DE VOTRE FRÈRE ET NE PEUX VENIR AINSI VOUS RENDRE VISITE !

HO HO HO HO

FSS

SBAM

BAS LES PATTES GROS PERVERS !!!!

LES BLA-BLAS DE YUU WATASE (LE RETOUR DE LA VENGEANCE DU FILS 2)

À vrai dire, je n'ai que très peu de connaissances mais ici on va faire un petit cours (en suis-je capable ?). A propos du clonage dont j'ai parlé tout à l'heure, vous souvenez-vous du clonage d'un singe dont on a parlé aux infos ? Ça a causé un grand débat et ils ont décidé d'arrêter les recherches parce que ça serait grave si l'on arrivait à le faire sur les hommes. J'ai demandé des renseignements à propos de ça et on m'a expliqué que c'était comme si un vrai jumeau naissait beaucoup plus tard. En écoutant cela, j'ai réalisé que l'image que j'avais était complètement fausse. Je pensais que le clone était une copie parfaite, c'est-à-dire comme quand des méchants fabriquent une copie robot dans les anciennes BD (c'est quoi cet exemple à la gomme ?). Mais en fait, c'est très différent !!

ON PREND UNE CELLULE DE WATASE → LE RÉSULTAT TOUT PRÊT À L'EMPLOI !! FICTION

Quand je suis très prise par mon travail, je me dis que j'aimerais avoir un clone !! Mais en vérité, la nouvelle vie de cette cellule partagée recommence à partir de bébé !! Ça sera donc une cellule de mon âge actuel, c'est-à-dire une cellule un peu épuisée après une vingtaine d'années d'utilisation (les cellules meurent et les gènes s'épuisent) mais qui aura toutes les apparences d'un bébé ordinaire... bref, un bébé vieux de plus de vingt ans (pas beaucoup plus, hein !!) !

RÉALITÉ CLONE AREUN !

LA DIFFÉRENCE D'ÂGE EST ÉNORME !! C'EST COMME SI C'ÉTAIT SON PROPRE ENFANT !!

MADAME KYOU !! MAIS OÙ EST YUHI ?

EXCUSEZ-MOI ...

EH BIEN, IL M'A DIT... QU'IL SE SENTAIT MAL ET NE VOULAIT VOIR PERSONNE ...

BAH, LE PLUS IMPORTANT C'EST QU'IL SOIT VIVANT !

ET PUIS, NOUS NE SOMMES PAS VENUS POUR RIEN PUISQUE J'AI PU VOIR LE VISAGE DE SUZUMI, BON RENTRONS ...

IL DOIT ÊTRE HONTEUX PARCE QUE SON NOM EST PARU DANS LE JOURNAL !

SES BRÛLURES N'ÉTAIENT PAS GRAVES !

SALUT, J'SUIS AYA MIKAGÉ !!

SPAF

J'HABITE ICI POUR QUELQUE TEMPS ! ☆ ENCHANTÉE !

QU !? QU !? QU !?

…"MIKAGÉ"… !?

VIENS ME VOIR À LA MAISON DÈS QU…

STAP

…TU ES LA JEUNE FILLE DONT MADAME SUZUMI S'OCCUPE ALORS !!

C'EST ÇA, N'EST CE PAS ?!

YUHI A FAILLI MOURIR EN VOULANT ME SAUVER ET TOI TU…

LES JEUNES LYCÉENNES SONT SI MIGNONNES !!

GNN

116

117

118

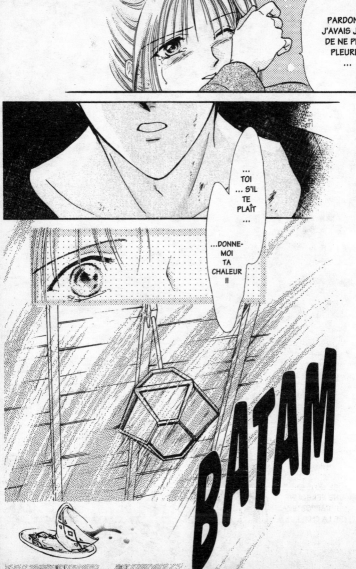

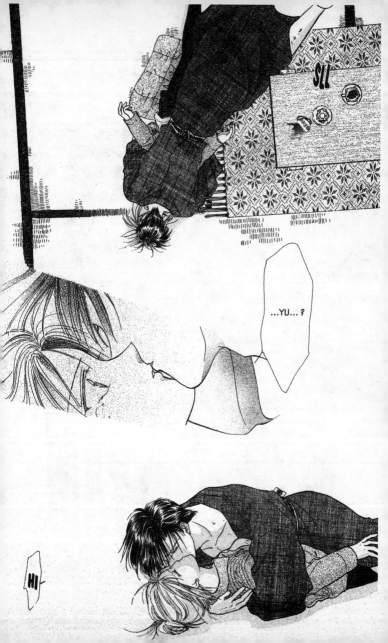

JE VAIS VOIR COMMENT SE COMPORTE NOTRE LEADER !...

ALORS AKI ?...

...TU VOIS QUELQUE CHOSE EN RAPPORT AVEC LA "ROBE DE PLUMES" ?

JE CROIS QUE C'EST IMPOSSIBLE DE RETROUVER DES SOUVENIRS D'UNE VIE ANTÉRIEURE ...

MAIS SI ! IL SUFFIT DE STIMULER LE SUBCONSCIENT ET DE GARDER PATIENCE !!

...NON RIEN... JUSTE DES IMAGES TRÈS FLOUES ...

DIS... TU ÉCOUTES CE QUE JE TE DIS ?

LE VOILÀ, LE VOILÀ, LE VOILÀ !!

PIOU PIOU PIOU !!

ENEMY ZERO

AU FAIT... CES DERNIERS TEMPS ON NE VOIT PLUS TOYA, TU SAIS OÙ IL EST TOI ALEX ?

MONSIEUR KAGAMI

TON GARDE DU CORPS EST EN TRAIN DE SE RAFRAÎCHIR LES IDÉES !

IL A OUBLIÉ SA POSITION ET SON RÔLE, IL JOUAIT À L'AMOUREUX TRANSI AVEC TA CHÈRE SŒUR ...

JE ME SUIS FAIT AVOIR !!

TAC

TOUJOURS ENSEMBLE DEPUIS LE VENTRE DE VOTRE MÈRE... QUI PLUS EST, TA FEMME DANS UNE VIE ANTÉRIEURE, CELA DOIT ÊTRE UN CHOC QUE QUELQU'UN VEUILLE TE LA PRENDRE !

JE VOIS QUE CE N'EST PAS DRÔLE POUR TOI NON PLUS !!

TOYA ... AVEC AYA !?

LES BLA-BLAS DE YUU WATASE

La suite : et puis la vie des hommes n'est pas éternelle, on ne peut pas vivre plus de 120 ans même si on est très en forme... quoi qu'il arrive... à 120 ans on meurt. Bien sûr, si on parle scientifiquement... cela veut dire, admettons que je vive encore 80 ans le bébé de mon clone aura la cellule déjà âgée de 20 ans et ne pourra pas vivre plus de 80 ans non plus. Oh la la !!

Vous savez, quand un rein est abîmé, il est difficile de recevoir une greffe. J'ai entendu dire à la TV "si c'était le rein de son propre clone, il n'y aurait pas de rejet et tout serait parfait", mais si le clone est fabriqué à partir de la même cellule, n'aura-t-il pas lui aussi ce problème au rein ? Et puis, en attendant que le bébé clone grandisse, on a le temps de mourir ! Si le clone aussi a un problème de rein, dira-t-on finalement "tout ce qu'on a fait jusqu'à maintenant était inutile !" ? En ce qui concerne mon clone, même si je décidais de le faire travailler à ma place, comme le clone aussi a sa propre personnalité, le chercheur du laboratoire m'a répondu qu'il n'est pas obligatoire que le clone aurait le don de dessiner des BD... Autrement dit, cela s'acquiert !! (rires). En plus, puisque le clone est une personne avec sa propre personnalité, il peut refuser de devenir dessinateur. Ainsi suivant l'environnement, il aura une personnalité différente de la mienne bien que son visage et son physique soient identiques aux miens. Finalement, "il n'y a pas beaucoup d'avantages à fabriquer des clones", c'est ce que l'on s'est dits... Ça n'a vraiment aucun sens !!

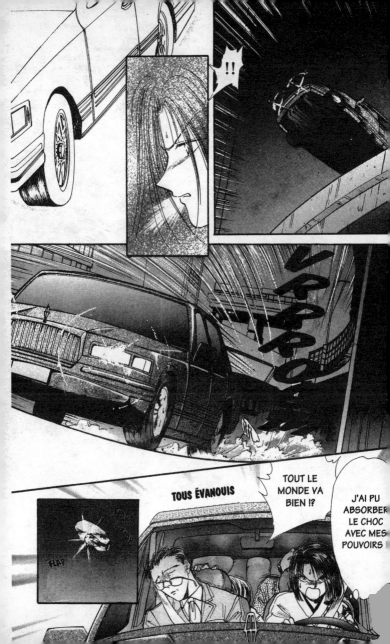

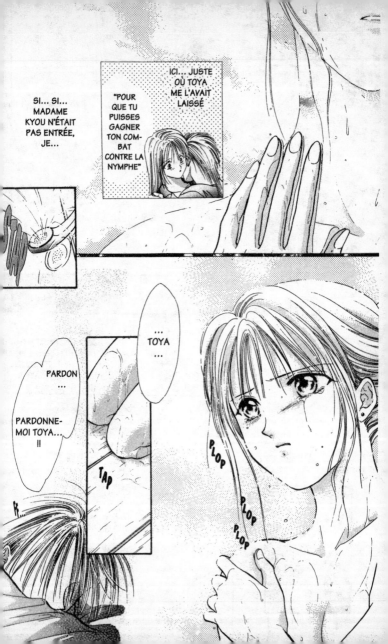

SHH

UN COUP DE TÉLÉPHONE POUR VOUS !

DÉPÊCHEZ-VOUS... C'EST UN CERTAIN MONSIEUR KAGAMI MIKAGÉ...

Mlle AYA !! C'EST MADAME KYOU, VOUS ALLEZ BIEN ?!

...LA VOIX DE TOYA... JE L'AI ENTEN-DUE... C'EST COMME S'IL M'AVAIT PRISE DANS SES BRAS...

CLIC

...IL Y AVAIT BIEN LONG-TEMPS, N'EST-CE PAS AYA ?

ÉCOUTE !! JE NE SAIS PAS CE QUE TU MANI-GANCES, MAIS T'AS INTÉRÊT À LES LAISSER TRANQUILLES !!

AU FAIT... AKI VA BIEN, ET TOYA CONTINUE DE PURGER SA PEINE ...

JE VOULAIS JUSTE ENTENDRE TA VOIX ...

TU SAIS, LES IMAGES PRISES PAR TOYA AVEC LA MICRO CAMÉRA SONT TRÈS INTÉ-RESSANTES...

TAIS-TOI !! QU'EST CE QUE TU VEUX ?!

153

ANNIVERSAIRE : LE 8 AOÛT (LION)

GROUPE SANGUIN : B

TAILLE : 178 CM EN PLEINE CROISSANCE !!

LOISIR : LA CUISINE !! PARTICULIÈREMENT JAPONAISE !

SPÉCIALITÉS : TOUS LES ARTS MARTIAUX ET LES BAGUETTES !

YUHI AOGIRI

KAZUMA... COMMENT ES-TU LÀ... ? ET L'ACCIDENT ?!!

... PARDON DE T'AVOIR LAISSÉE TOUTE SEULE SUZUMI...

KAZUMA, C'EST BIEN TOI ?

...J'AI TOUJOURS ÉTÉ LÀ MAIS TU NE ME VOYAIS PAS...

BON... ELLE EST COMPLÈTEMENT ENDORMIE... CONTINUE COMME ÇA !

...BIEN... SUZUMI...

MAIS MAINTENANT... PLUS JAMAIS NOUS NE SERONS SÉPARÉS... ÉCOUTE CE QUE JE TE DIS...

... KAZU...

175

VOTRE SŒUR EST EN TRAIN DE FAIRE DE BEAUX RÊVES, ELLE EST SOUS NOTRE CONTRÔLE !

TANT QU'ELLE N'A PAS ÉTÉ DRESSÉE NOUS NE POUVONS PAS LUI INJECTER DE MÉDICAMENT !

... KAZUMA ...

C'EST VRAI... ? TU N'ÉTAIS PAS MORT ?!...

...OUI J'ÉTAIS BIEN EN VIE !

MON... FRÈRE ?

VOUS LUI MONTREZ L'IMAGE DE MON FRÈRE MORT ?!!...

LES BLA-BLAS DE YUU WATASE

(Le retour du fils de la vengeance 2) :
Tout à l'heure, j'ai écrit que les gènes s'épuisaient , mais que se passe-t-il réellement ? Ils s'épuisent et quand ils atteignent le maximum, les êtres vivants meurent. On dit "il faut lire les livres de 10 à 20 ans" ou alors, "il faut apprendre quand on est jeune", c'est parce que le cerveau est le plus actif et possède beaucoup de capacités de mémoire ! Après 20 ans, un million de cellules meurt par jour et la mémoire baisse de plus en plus, sans ajouter les méfaits de l'alcool bien sûr. Si on boit sans modération, l'effet de mort des cellules s'accélère et on peut dire que l'on devient moins intelligent que les autres ! Vous voulez continuer à boire après ça ?
En ce qui me concerne, je détestais les études mais mes parents me disaient sans cesse : "tu vas le regretter si tu ne travailles pas maintenant" et ils ne disaient jamais "travaille travaille !!"... Alors, je tirais la langue en disant que je ne le ferais jamais. Mais je peux vous le dire, on regrette (rires). Surtout si on veut devenir dessinateur ou écrivain. Lisez et travaillez !! Si vous manquez de connaissances, vous aurez beaucoup de problèmes ! J'aurais dû lire au moins des textes surtout qu'ils sont expliqués et faciles à comprendre pour les enfants. Je voudrais retourner à l'école (rires) !! Je peux dire qu'être étudiante, c'est plus facile... euh... un tiers de ces blablas sont faits pour vous apprendre (si c'est vrai !). Vous n'aurez plus peur de la classe des sciences naturelles. Au fait, la société des Mikagé n'est-elle pas mystérieuse ? Voici quelques détails : elle s'appelle la "Mikagé International". Mais je suis sûre que vous êtes plus intéressés de savoir avec qui Aya va aller, alors... sera-ce Toya ou Yuhi ?! C'est vrai que dans la situation actuelle, Aya ne peut pas choisir et c'est normal ! Vivement la suite, au volume 4 !!

AU SECOURS !!

...MON CHER FRÈRE... JE T'AIDE-RAI SI TU ME LE DEMANDES GENTI-MENT...

YUHI !! RÉSISTE !!

A... YA...

T'ES VRAI-MENT PAS TRÈS COU-RAGEUX, T'ES UN HOMME, NON ?!!

BON ON VA POUVOIR LUI INJECTER LE MÉDICA-MENT !

SUZUMI... !! CE N'EST QU'UN RÊVE !! MON FRÈRE... MON FRÈRE EST MORT !! TU AS SURMONTÉ TON CHAGRIN IL Y A DÉJÀ UN AN !!

BO BOM

BO BOM

LE CACHE OREILLE L'EMPÊCHE D'EN-TENDRE, GRÂCE À ÇA ELLE A UNE IMPRESSION DE "RÉALITÉ"

178

SUZUMI
...

SUZUMI
EST...

NON... ELLE
NE L'A PAS
AVALÉ !

... LE MÉDI-
CAMENT
?!!...

...PARDON,
MAIS JE NE
PEUX PAS
PRENDRE DE
MÉDICA-
MENTS...

TANT
MIEUX !! ÇA
VA ALLER
ALORS ?!!

MA SŒUR... !!!!?

HEIN... KAZUMA ?!

...C'EST LE DOCTEUR QUI ME L'A DIT...

ELLE NE PEUT PLUS REVENIR À LA RÉALITÉ !

C'EST MALHEUREUSEMENT TROP TARD... SON ESPRIT EST RESTÉ BLOQUÉ DANS SON RÊVE !

...NOUS AVONS CASSÉ L'APPAREIL ET POURTANT ELLE CONTINUE DE DORMIR !!

!!

187

AYASHI NO CÉRÈS 3 – UN CONTE DE FÉES CÉLESTE ★ FIN

189

"AYASHI NO SERESU !"
un conte de fées céleste
© 1996 by WATASE yuu

All rights reserved
Original japanese edition published in 1996 by SHOGAKUKAN Inc., Tokyo
French translation rights arranged with SHOGAKUKAN Inc.
for Belgium, Canada, France, Luxembourg and Switzerland.

Édition française :
© 2000 TONKAM
BP 356 - 75526 Paris Cedex 11.
1ʳᵉ Édition : novembre 2000
3ᵉ Éditions: janvier 2002
Traduction, Adaptation, Maquette : TONKAM

Achevé d'imprimer en janvier 2002
sur les presses de l'imprimerie Sagim à Courtry (Seine-et-Marne).

Dépôt légal : janvier 2002
N° d'impression : 5569